Johannes Hahn
Margrit Spiegel

# WIESBADEN

## Auf den ersten Blick

deutsch/english/français

Wartberg Verlag

1. Auflage 1999
Alle Rechte vorbehalten, auch die des auszugsweisen Nachdrucks
und der fotomechanischen Wiedergabe.
Druck: Bernecker, Melsungen
Buchbinderische Verarbeitung: Büge, Celle
© Wartberg Verlag GmbH
34281 Gudensberg-Gleichen, Im Wiesental 1, Tel. 0 56 03/9 30 50
ISBN: 3-86134-610-9

# Vorwort

Der erste Eindruck einer Stadt ist oft der ent-
scheidende. Der Fotograf Johannes Hahn hat
Wiesbaden auf den „ersten Blick" erlebt und zum
Bildband zusammengefaßt. So zeigt die Auswahl
der zusammengetragenen Bilder nicht das
„ganze" Wiesbaden, sondern einige wichtige
Aspekte einer liebenswerten Stadt.
Das Buch lädt den Betrachter ein zum
Spaziergang durch die Stadt. Es möchte dabei
Fremde neugierig machen auf Wiesbaden,
Besuchern eine Erinnerung mitgeben und den
Wiesbadenern die Sonnenseite ihrer Stadt zeigen.

*Foto oben:* Der erste Spatenstich zum Wiesbadener Hauptbahnhof, entworfen von Prof. Klingholz aus Aachen, erfolgte bereits 1889. Erst am 15.11.1906 konnte der Bahnhof eingeweiht werden.

*Foto Seite 5 oben:* Den 1. Preis eines 1902 ausgeschriebenen Wettbewerbs zum Bau des Landeshauses am Kaiser-Friedrich-Ring erhielten die Architekten Friedrich Werz und Paul Huber. Das Gebäude entstand nach ihren Plänen. Heute ist das Landeshaus Sitz des Hessischen Wirtschaftsministeriums.

*Foto Seite 5 unten:* Die Anlage der Rheinstraße als Allee geht auf die Stadtplanung von Christian Zais (1770-1820) zurück. Der eigentliche Ausbau begann 1828 mit einheitlichen klassizistischen Fassaden. Die heutigen Gebäude stammen jedoch aus der Gründerzeit und der Jahrhundertwende.

*Photo above:* The first step to the construction of the main s tion of Wiesbaden, created by Prof. Klingholz from Aachen, h already been in 1889.

*Photo page 5 above:* The architects Friedrich Werz and Pa Huber won the price of the competition in 1902 which has be advertised for the construction of the Landeshaus.

*Photo page 5 below:* The construction of the Rhinestreet as a nue refers to the plannings of Christian Zeis (1776-1820).

*Photo en haut:* L'architecte Prof. Klingholz, de Aix-la-Chape a conçu la gare centrale de Wiesbaden. Dès 1889 débutèrent travaux de construction.

*Photo page 5 en haut:* Cet édifice fut construit d'après les pla des architectes Friedrich Werz et Paul Huber.

*Photo page 5 en bas:* L'allée Rheinstraße fut conçue par l'urt niste Christian Zais (1770-1820).

Foto oben: Ansicht der Rückfront der Ringkirchentürme. Erbaut wurde die Ringkirche 1892 bis 1894 von dem Berliner Architekten Johannes Otzen, der bereits die Bergkirche entworfen hatte.

Foto rechte Seite: An der Stirnseite des Platzes steht die Bonifatiuskirche. Im Mittelpunkt des Platzes befindet sich der Waterloo-Obelisk, ebenfalls von Philipp Hoffmann (1806-1889). Er wurde zum 50. Jahrestag der Schlacht bei Waterloo aufgestellt. Die Plastik eines steigenden Pferdes im Vordergrund von Paul Scheurich wurde 1934 zu Ehren der im Ersten Weltkrieg gefallenen und vermißten Soldaten des 1. Nassauischen Feldartillerie-Regiments Nr. 27 „Oranien" eingeweiht.

Photo above: View of the spires of the Bonifatiuschurch.

Photo page right: The Bonifatiuschurch is situated in the fro side of the square. It was built between 1843 and 1849 after t plannings of Philipp Hoffmann (1806-1889) in romantic sty with gothic elements.

Photo en haut: Vue des flèches en dentelle de l'église Bonifatius.

Photo de droit: A l'arrière-plan sur la place, on aperçoit l'égli St. Bonifatius. Elle fut édifiée de 1843 à 1849 d'après les pla de l'architecte Philipp Hoffmann (1806-1889) dans le style mantique avec l'adjonction d'éléments gothiques.

6

*Foto oben:* Bei der Heidenmauer handelt es sich um Reste einer Befestigung aus römischer Zeit, die nie fertiggestellt wurde. Im Mittelalter verlief sie gradlinig durch den alten Stadtkern, vom Heidenberg bis hin zur heutigen Marktkirche. Bei der Anlage der Coulinstraße zu Beginn des 20. Jahrhunderts wurde die Heidenmauer durchbrochen. Stadtbaumeister Felix Genzmer (1856-1929) verband die beiden Endstücke mit einem Torbau, dem sogenannten Römertor.

*Foto rechts:* Der Mauritiusplatz im Herzen der Stadt mit dem gern besuchten Biergarten; links im Vordergrund der Mauritiusbrunnen, neben dem Marktbrunnen der zweite Laufbrunnen Wiesbadens. Er wurde nach längerer Zwischenlagerung im Museum 1978 im Rahmen der Umgestaltung des Platzes wiedererrichtet. Der Platz entstand, nachdem 1850 Wiesbadens älteste Kirche, die Mauritiuskirche, abbrannte.

*Photo above:* The Heidenwall is the rest of fortifications of the Roman era which has never been finished. The architect Felix Genzmer (1856-1929) linked the two ends with a gate, the so-called „Roman Gate".

*Photo page right:* The photo shows the Mauritiusplace in the heart of the city with its well-visited „Biergarten".

*Photo en haut:* Le «Heidenmauer» (mur des païens) est un vestige d'une fortification romaine inachevée. Le maître d'œuvre de la ville Felix Genzmer (1856-1929) relia les deux extrémités par une porte, appelée «Römertor».

*Photo de droit:* Au cœur de la ville, la place Mauritius avec ses terrasses de café très fréquentées.

*Foto Seite 10-11:* Der Wochenmarkt auf dem Schloßplatz findet jeweils Mittwoch und Samstag vormittag statt. Hier Blicke auf das Markttreiben vor dem 1610 erbauten „Alten Rathaus", das heute als Standesamt genutzt wird.

*Foto oben:* Das Rathaus trug nach der „wilhelminischen Ära" 1919 kurzzeitig die grün-weiß-rote Fahne der Separatisten der „Rheinischen Republik", dann die Flagge von Weimar und ab 1933 das Hakenkreuz. Bei dem Bombenangriff auf Wiesbaden im Februar 1945 wurde das Rathaus stark zerstört und 1949 bis 1951 unter Leitung des Stadtbaumeisters Eberhard Finsterwalder (1893-1972) wieder aufgebaut.

*Foto rechte Seite:* Die Marktkirche wurde zwischen 1852 und 1862 nach Plänen von Carl Boos (1806-1883) als neue evangelische Hauptkirche errichtet, nachdem die Mauritiuskirche in der Kirchgasse 1850 völlig abgebrannt war. Noch lange nach ihrer Errichtung trug sie den Namen „Schloßkirche". Die Marktkirche, ein reiner Ziegelbau, ist neugotisch gestaltet und hat fünf spitze und filigrane Türme, die eindrucksvoll das Stadtbild überragen.

*Photo page 10-11:* The weekly market on the „Schloßplatz" kes place every Wednesday and Saturday in the morning.

*Photo above:* During the bomb-raid on Wiesbaden in 1945, townhall has been considerably destroyed, but it has been rebu under the direction of the architect Eberhard Finsterwald (1893-1972) between 1949 and 1951.

*Photo right-hand:* Market-well in front of the townhall.

*Photo page 10-11:* Le marché hebdomadaire a lieu le mercre matin et le samedi matin sur la place du château.

*Photo enhaut:* En février 1945, la Mairie a été fortement e dommagée au cours de bombardements sur Wiesbaden. Elle été reconstruite de 1949 à 1951 sous la direction du maî d'œuvre de la ville, Eberhard Finsterwalder (1893-1972).

*Photo de droit:* Vue de la face arrière de la Mairie et de l'égl du Marché.

12

*Foto oben:* Von der neugestalteten Marktkellerterrasse auf dem Dern'schen Gelände sieht man zu den sanierten Bürgerhausfassaden aus der Jahrhundertwende der De-Laspeé-Straße hinüber, benannt nach dem Pestalozzi-Schüler und namhaften Pädagogen Johannes de Laspeé (1783-1825), der in Wiesbaden eine Privatschule unterhielt.

*Fotos rechte Seite:* Nach nur zweijähriger Bauzeit fand in Gegenwart von Kaiser Wilhelm II. die feierliche Einweihung des Hessischen Staatstheaters statt. 1945 wurde das Theater etwa zu einem Drittel zerstört, aber bereits 1947 fand die erste Aufführung, wenn auch noch behelfsmäßig, statt. Nochmals zur Großbaustelle wurde das Theater in der Zeit von 1976 bis 1978. Es wurde von Grund auf umgebaut und erhielt eine Erweiterung für Werkstatträume.

*Photo above:* From the new terrace of the market-cellar on t Dern'schen area, you can see the restored front of „Bürgerhaus", which has been built during the turn of the ce tury.

*Photos right:* In 1945, the theatre has been destroyed to a thi but already in 1947, the first performance took place, howev provisionally.

*Photo en haut:* Sur l'Espace Dern'sche, vue sur les façades novées des maisons bourgeoises datant du début du siècle. partir des terrasses nouvellement aménagées sur les caves marché.

*Photo de droit:* En 1945, environ un tiers du théâtre fut détru mais dès 1947, la première représentation put cependant av lieu, malgré les conditions précaires.

*to linke Seite:* Wilhelm-Arcade, eröffnet am 4.12. 82. Sie verbindet die Wilhelmstraße mit dem Schloß- tz über die Herrnmühlgasse. In der Arcade befinden h exklusivere Geschäfte für Mode und Bekleidung.

*to oben:* Halb von Bäumen verdeckt präsentiert sich ; Hotel „Nassauer Hof", die „erste Adresse" der Stadt, t dem Feinschmeckertempel „Die Ente vom Lehel".

*Photo page left:* Wilhelm-arcade, opened on December 4th, 1982. It links the Wilhelmstreet with the „Schloßplatz" via Herrnmühlgasse.

*Photo above:* The Emperor-Friedrich-Memorial in front of the „Nassauer Hof", which has been created by Joseph Uphues in 1897.

*Photo de gauche:* La „Wilhelm-Arcade", inaugurée le 4.12. 1982, relie la Wilhelmstraße à la Place du château en passant par Herrnmühlgasse.

*Photo en haut:* Devant l'hôtel «Nassauer Hof», la statue dédiée à l'empereur Frédéric et créée par Joseph Uphues en 1897.

17

*Foto oben:* Die Theaterkolonnade, hier anläßlich der Maifestspiele beflaggt, wurde als Wandelhalle 1839 von Baurat Karl Friedrich Faber (1792-1856) errichtet. Mit dem Theaterneubau 1894 entstand der Mittelpavillon mit dem Säulenportal als Theatereingang. Dies gab der Kolonnade ihren Namen.

*Foto rechte Seite oben:* Anstelle des früheren „Cursaals" wurde 1904 bis 1907 ein neues Kurhaus errichtet. Der Architekt Friedrich von Thiersch aus München wurde beauftragt, ein Gebäude zu planen, das dem Charakter eines Weltbades entsprach. Im Zweiten Weltkrieg wurde das Kurhaus stark zerstört; 1951 war jedoch bereits der Wiederaufbau abgeschlossen. Von 1982 bis 1987 wurde das Gebäude nach den historischen Originalplänen restauriert.

*Foto rechte Seite unten:* Friedrich-von-Thiersch-Saal heißt seit 1987 der „Große Konzertsaal". Es ist der am aufwendigsten gestaltete Raum des Kurhauses.

*Photo above:* The colonnade of the theatre, on this photo flaged because of the „May-Festivals", has been built by K Friedrich Faber (1792-1856) as a changing hall.

*Photo right-hand page above:* During the Second World W the Kurhaus has been considerably destroyed, but the restaur on has already been finished in 1951. From 1982 till 1987, building has been restored after the original plans.

*Photo right-hand page below:* Since 1987 the Friedrich-v Thiersch-Hall is named the „Great Concerthall"; it is the mos equipped room of the spa-house.

*Photo en haut:* Les colonnades du théâtre, décorées de drape à l'occasion du Festival théâtral de Mai, ont été construites 1839 pour servir de promenoir, par le Conseiller en architect Karl Friedrich Faber (1792-1856).

*Photo page 19 en haut:* Le „Kurhaus" (l'établissement therm a été fortement endommagé au cours de la Seconde guerre m diale. Les travaux de reconstruction furent achevés en 19 L'édifice fut ensuite restauré selon les plans historiques d'ori ne de 1982 à 1987.

*Photo page 19 en bas:* La salle „Friedrich-von-Thiersch" s' pelle depuis 1987 „grande salle de concert". Cette salle „Kurhaus" est la seule à avoir été aménagée avec autant de lu

19

*Foto oben:* Seine Fontäne erhielt der bereits vorhandene Weiher im Rahmen der Parkumgestaltung 1855/56. Im Hintergrund der Ansicht die Rückfront des Kurhauses. Der Kurpark verbindet heute auch das Kurgebiet Aukamm mit der Stadt.

*Foto unten:* Der Kochbrunnen ist die berühmteste und ergiebigste Quelle Wiesbadens. Den abgebildeten Kochbrunnenspringer im Vordergrund gibt es erst seit 1970; für das Wasser wurde damit ein neuer Weg an die Oberfläche geschaffen.

*Photo above:* The already established pond received its fou tains in 1855/56 within the reconstructural changes.

*Photo below:* The „Kochspring" is the most famous and ef cient spring of Wiesbaden.

*Photo en haut:* L'étang déjà existant fut agrémenté d'une font ne (en bas) dans le cadre du réaménagement du parc 1855/56.

*Photo en bas:* La fontaine „Kochbrunnen" est la source la p célébre et la plus abondante de Wiesbaden.

*oto oben:* Im März 1905 eröffnete das Palast-Hotel, ein
[H]aus des gehobenen Standards. Im Zweiten Weltkrieg
[di]ente das Luxushotel als Lazarett. Nach dem Krieg
[st]and es zeitweilig der amerikanischen Besatzungsmacht
[zu]r Verfügung. Später wurden dort Büros städtischer
[Äm]ter und Landesdienststellen untergebracht. Bei der
[U]mgestaltung des Kranzplatzes Mitte der 1970er Jahre
[w]urde auch das Palast-Hotel unter Bewahrung seiner
[hi]storischen Fassade umgebaut. Das südlich angrenzen-
[d]e ehemalige Hotel „Milano" erhielt einen Neubau.

Beide Häuser sind heute konzeptionell und technisch
eine Einheit und vereinen alt und neu.

*Photo above:* In march 1905 the Palace-Hotel was inangurated,
as establishment of higher standards.

*Photo en haut:* Le Palast-Hotel, un hôtel de haute catégorie, ou-
vrit des portes en mars 1905.

21

*Foto oben:* Monopteros auf dem Neroberg
Der Aussichtstempel wurde 1851 von Philipp Hoffmann erbaut. Seine Säulen dienten zuvor als Träger der Straßenlampen auf der Wilhelmstraße. Der Name „Neroberg" hat übrigens nichts mit dem römischen Kaiser Nero zu tun, wie vielfach geglaubt wird; er ist vielmehr als „hinterer Berg" zu deuten.

*Foto rechte Seite:* Die Russische Kirche auf dem Neroberg, die sogenannte Griechische Kapelle, ist Wahrzeichen der Stadt.

*Foto Seite 24-25:* Blick auf die Stadt vom Neroberg – die Türme der Bergkirche im Hintergrund der Maria-Hilf-Kirche überragen das Stadtbild.

*Photo above:* Monopteros on the Nerohill.

*Photo right-hand page:* The russian church on the Nerohill, so called „Greek Chapel", is the landmark of the city.

*Photo page 24/25:* View at the city from the „Nero-Hill" - in background of „Maria-Hilf-Kirche" (Mary´s Church of Hel the hill-churches towers rise above the townscape.

*Photo page 23:* Sur le Neroberg, l'église russe, dite Chape Grecque, est le symbole de la ville.

*Photo page 24/25:* Vue de la ville de Neroberg - les tours l'église „Bergkirche" („Église de la montagne") en arrière p l'église „Maria-Hilf-Kirche" („Église d´aide Sainte Marie surplombent la ville.

*Photo en haut:* Monoptère sur le Neroberg.

22

*Foto oben links:* Im nördlichen Nerotal steht diese reich dekorierte Neobarock-Villa mit zwiebelförmigem Turmaufbau. Sie wurde Ende des 19. Jahrhunderts von dem Wiesbadener Architekten Stanislaus Wojtowski (1850-1913) erbaut.

*Foto oben rechts:* Kurz nach der Jahrhundertwende entstand diese Jugendstil-Villa nach Plänen des Architekten Sigmund Langrod für den Kaufmann und Stadtrat Wolfgang Büdingen (1843-1917), den letzten Besitzer des Adler-Badhauses, das dieser 1899 an die Stadt verkaufte.

*Foto rechte Seite:* Sowohl die Villa als auch die Straße sind nach dem Bauherrn und ersten Anwohner Prinz Albrecht zu Solms-Braunfels (1841-1901) benannt. 1890 wurde die Solmsstraße eröffnet. Das Baudenkmal im neogotischen Landhausstil mit einem enormen Detailreichtum erfuhr ab 1983 durch private Initiative eine beispielhafte Sanierung.

*Photo, above to the left:* This well decorated neobarockinian villa with onion-like-towertop is located in the northern „Nerotal Valley". It was built at the end of the 19th century by the architect Stanislaus Wojtowski (1850-1913), a citizen of Wiesbaden.

*Photo right-hand above:* In the very early 20th century this Art Noveau-Villa was constructed by the architect Sigmund Langrod for the merchant and municipal council Wolfgang Büdingen (1843-1917).

*Photo page 27:* The villa as well as the street are named after builder and first resident, Prince Albrecht of Solms-Braunfels (1841-1901). In 1890 Solmsstraße was inangurated.

*Photo, ci-dessus à gauche:* Dans la partie nord de la ville Nerotal se situe cette villa richement décorée de style néo-baroque avec la tour construite en forme de bulbe. Elle fut édifiée à la fin du 19ième siècle par l'architecte originaire de Wiesbaden Stanislaus Wojtowski (1850-1913).

*Photo de droit en haut:* Cette villa du «Jugendstil» fut édifiée juste au début du siècle, d'après les plans de l'architecte Sigmund Langrod, pour le commerçant et conseiller municipal Wolfgang Büdingen (1843-1917).

*Photo page 27:* Le Prince Albrecht zu Solms-Braunfels (1841-1901), propriétaire et premier riverain, est à l'origine du nom de cette villa et cette rue. La rue fut inaugurée en 1890.

*oto links oben:* Die Burg Sonnenberg, erbaut durch die ...afen von Nassau, ist heute weitgehend Ruine. Ältester ...alten gebliebener Teil ist der um 1200-1220 entstande- ... Bergfried, in dem seit 1989 das Sonnenberger ...rgmuseum untergebracht ist.

*oto links unten:* Die denkmalgeschützte neugotische ...ruftkapelle für den Wiesbadener Architekten Otto ...eizner (1843-1905) stammt aus dem Jahre 1905.

*oto oben:* Nach den Plänen des Architekten Theodor ...scher aus München entstand in der Zeit von 1913 bis ...15 das Museum an der Friedrich-Ebert-Allee.

*oto left-hand above:* The castle Sonnenberg, built by the Earl ... Nassau, is almost completely a ruin nowadays.

*Photo, below to the left:* The monument-protected neogothic-tomb-chapel for architect Otto Kreizner (1843-1905), a citizen of Wiesbaden, was finished in 1905.

*Photo above:* Realizing the projects of architect Theodor Fischer from Munich the museum in the Friedrich-Ebert-Allee was built from 1913 until 1915.

*Photo de gauch en haut:* Le château de Sonnenberg, érigé par les comtes de Nassau, n'est plus maintenant qu'une ruine.

*Photo, ci-dessous à gauche:* Cette chapelle gothique, monument classé historique, est un caveau à la mémoire de l'architecte Otto Kreizner (1843-1905) originaire de Wiesbaden. Elle fut construite dans l'année 1905.

*Photo en haut:* Entre 1913 et 1915 on édifia le Musée dans la Friedrich-Ebert-Allee selon les plans de l'architecte munichois Theodor Fischer.

*Foto oben:* Schierstein hat eine lange Fischer- und Hafentradition. Die Frauen der Schiersteiner Fischer belieferten auch den Wiesbadener Wochenmarkt mit frischem Fang. Das Hafenbecken, heute ein Zentrum des Bootssports, wurde 1859 fertiggestellt. Das früher ebenfalls beliebte Rhein-Schwimmbad allerdings mußte 1962 wegen der zunehmenden Wasserverschmutzung geschlossen werden.

*Foto rechts:* Die Ansicht zeigt die Gartenseite des barocken Biebricher Schlosses mit der Mittelrotunde. Das Schloß wurde seit Beginn des 18. Jh. in mehreren Bauabschnitten errichtet. 1744 bis 1843 diente es als Hauptresidenz der Fürsten und Herzöge von Nassau, 1843 bis 1866 als Sommerresidenz.

*Small photo above:* Schierstein has a long fishing and harbour tradition. The wifes of the Schierstein fishermen delivered the fresh fish also to the weekly-market of Wiesbaden. The harbour basin – today a center of boat-sports – has been finished in 1859.
*Photo right:* The view shows the garden side of the barockian built Biebricher Castle.

*Photo de droit:* Schierstein est une ville, où le port fait parti de l´histoire et la pêche est une longue tradition. Les femmes des pêcheurs de Schierstein livraient également hebdomadairement le marché de Wiesbaden avec les nouvelles prises de pêche. Le bassin du port fut aménagé en 1859 et est aujourd´hui un centre de sports nautiques.
*Photo en haut de droit:* La photo montre une vue de la façade sur jardin du château baroque de Bieberich.

# Weitere Bücher aus dem Wartberg Verlag

Monika Reichartz
**Wiesbaden – wie es früher war**
72 S. geb., zahlreiche S/w-Fotos
(ISBN 3-86134-138-7)

Monika Freiling
**Wiesbaden**
**Ein Stadtbild im Wandel**
72 S. geb., zahlreiche S/w- und
Farbfotos
(ISBN 3-86134-221-9)

Gerhard Honekamp (Hg.)
**Wiesbaden**
**Hinterhof und Kurkonzert**
Ein Bilder- und Lesebuch
zur Stadtgeschichte
120 S., geb., mit zahlr. Abb.
(ISBN 3-86134-350-9)

Johannes Hahn, Margrit Spiegel
**Wiesbaden**
**Farbbildband**
72 S. geb., zahlr. Farbfotos
deutsch/english/français
(ISBN 3-86134-610-9)

M. Horn, C. Lange-Horn
**Die schönsten Schlösser und**
**Burgen im südlichen Hessen**
Entdeckungen im Odenwald, an der
Bergstraße, im Rheingau und im
Vordertaunus
88 S. geb., Großformat,
zahlr. farbige Abb.
(ISBN 3-86134-488-2)

M. Horn, C. Lange-Horn
**Zeitreise durch Südhessen**
Ausflüge in die Vergangenheit.
Eine spannende Reise zu ausge-
wählten Orten der Geschichte.
80 S. geb., Großformat, Farbfotos
(ISBN 3-86134-330-4)

## Wartberg Verlag
34281 Gudensberg-Gleichen, Im Wiesental 1,
Tel.: (0 56 03) 9 30 50  Fax: (0 56 03) 30 83